Conforme à la loi n° 49.956 du 16 juillet 1949 sur les publications destinées à la jeunesse.
© Éditions Nathan (Paris-France), 1997
© Nathan/VUEF, 2002 pour cette impression
ISBN : 2-09-202022-6. N° d'éditeur : 10101358
Dépôt légal : janvier 2003
Imprimé en Italie

T'choupi fait du vélo

Illustrations de Thierry Courtin
Couleurs de Sophie Courtin

NATHAN

T'choupi est très fier.
Il a eu un beau vélo
pour son anniversaire.

– Ouf ! C'est dur, le vélo !
Tu peux me pousser,
maman ?

– Ça y est !
Regarde maman,
comme je sais
faire du vélo.
– C'est bien !
Bravo T'choupi.

– Regarde maman,
je conduis avec
une seule main.
– Va doucement,
T'choupi.

– Tu vois maman,
je suis debout
sur mon vélo.
– Tiens-toi, T'choupi,
tu vas tomber !

PATATRAS !

– Ne pleure pas,
mon T'choupi,
dit maman.
Je vais soigner
ton genou.

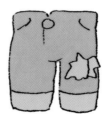

– Tout d'abord,
on nettoie ton bobo.
Puis on le couvre
d'un joli pansement.

– Et voici une bonne orangeade pour oublier tes petits malheurs.

– Regarde maman,
je me tiens bien.
– Tu es un vrai
champion, T'choupi !